내면을 시각화하다
MANDALA COLORING BOOK

이송화(무비)

내면을 시각화하다
(MANDALA COLORING BOOK)

발　　행 ｜ 2024년 4월 29일

저　　자 ｜ 이송화(무비)

디 자 인 ｜ 어비, 미드저니

편　　집 ｜ 어비

펴 낸 이 ｜ 송태민

펴 낸 곳 ｜ 열린 인공지능

등　　록 ｜ 2023.03.09(제2023-16호)

주　　소 ｜ 서울특별시 영등포구 영등포로 112

전　　화 ｜ (0505)044-0088

이 메 일 ｜ book@uhbee.net

ISBN ｜ 979-11-94006-04-6

www.OpenAIBooks.com

내면을 시각화하다
MANDALA COLORING BOOK

이송화(무비)

목차

머리말

만다라의 세계에 오신 것을 환영합니다.

만다라는 예술과 마음챙김이 통합되어 의식과 내면의 균형을 조화롭게 만드는 또 다른 세상입니다.

만다라(曼陀羅•Mandala)는 "원(圓•circle)"을 의미하는 산스크리트어에서 유래되었습니다.

스위스의 정신의학자 분석심리학의 창시자인 카를 융(Carl Gustav Jung)이 현대 심리학에 만다라의 치유법과 명상법을 도입하면서 다양한 방법으로 전파되었습니다.

만다라의 원은 탄생과 죽음, 재생 등 끝없는 존재의 순환을 의미하며, 우주의 조화와 균형, 모든 사물의 상호 연결성에 대한 의미를 반영한 것입니다.

이 작은 원 안에서의 자기표현과 평온함의 순간을 만난다는 것은 소중한 선물입니다.

당신이 어떤 사람이든 이 책은 자기 발견의 항해를 시작하도록 초대하게 될 것입니다.

여기에는 규칙도 끝도 없습니다. 단지 나만의 시작점만 존재합니다. 자신을 표현하고 현재 순간의 아름다움을 음미할 자유만 있을 뿐입니다.

여러분들이 내면의 깊이를 발견하고 시각화하여 영감, 기쁨, 평온의 원천을 얻어 가시길 발원합니다.

※본 만다라 컬러링북에는 저자의 만다라 '수작업' 작품, 아이패드 '프로크리에이트 어플'로 작업한 작품, 인공지능 AI '미드저니'로 작업한 작품이 포함되어 있습니다.

저자 소개

10여 년 전 어느 날 나의 수행 스승 단호 스님께서 "만다라 한번 그려봐"라는 스쳐 지나가는 짧은 말씀에 만다라를 만나게 되었다.

그 순간 이후부터 나는 만다라를 통해 나와 더 친해질 수 있었으며 진정한 나를 발견하기 시작했다.

어떠한 형식도 방법도 몰랐지만 만다라를 그리고 있는 내가 너무나도 자연스러웠다.

만다라를 그리는 동안에 무수히 뜨고 지는 나의 인식을 객관적으로 바라보는 관찰의 기회가 되기도 하였으며, 깊은 명상 상태를 경험하기도 하였고, 때로는 그 어떤 분별과 판단 없이 모든 것을 있는 그대로 지켜보며 관조하는 나를 보게도 되었다.

아이러니하게도 복잡하고 세밀한 패턴의 만다라 작품 위에 나의 고요한 '평온함'이 함께 있었다.

그렇게 나는 만다라를 통하여 또 다른 세상을 만날 수 있었고 살아가고 있다.

이제는 더 많은 사람들과 그 세상을 함께 즐기고 나누며 살 것이다.

무비(無 比) 이송화

woodxlove@naver.com

Chapter 1.

다양한 재료를 활용한 만다라

(수작업 작품)

도전 아크릴 물감 dot mandala (사이즈 30*30)

**나는 원래 무엇을 그리려고 했던 것일까? 수없이 많은 생각들이 뜨고 지고, 덮고 칠하고를 반복하며 하나씩 그 점들을 이어 나간다. 시작은 있었으나 끝은 없는 느낌이다.
단지 그 순간에 멈춤이 있을 뿐이다.**

환희 아크릴 물감 dot mandala (사이즈 30*30)

그냥 기분이 좋았다. 좋은 데는 이유가 없었다.
온전히 느껴지는 기쁨을 그대로 느낀다.
그리고 기쁨의 마지막은 늘 그렇듯 감사함이다.

망설임 아크릴 물감 dot mandala (사이즈 30*30)

멈추고 싶었다. 그러나 멈추지 못했다.
그래서 더 꽉꽉 채웠다.
결국 내가 무엇을 원했는지 나도 헷갈리기 시작했다.

중심 네임펜, 사인펜, 파스텔 (사이즈 30*30)

중심을 바라본다.
그리고 호흡하라.

호기심 네임펜, 마커펜, 파스텔 (사이즈 30*30)

도대체 무슨 일이 일어나고 있는 거지?
난 이 순간 왜 설레는 걸까……

명상 네임펜, 마커펜, 파스텔 (사이즈 30*30)

무엇이 이토록 복잡했을까?
무엇을 그렇게 잘하고 싶었을까? 끊임없이 나에게 질문한다.
그리고 고요한 그 자리에 머물렀다.

방어하라 네임펜, 마커펜, 파스텔 (사이즈 30*30)

강해지고 싶다.
내겐 지금 힘이 필요해!

해어화 색연필, 사인펜, 파스텔 (사이즈 30*30)

**깨어나서 마음 꽃이 활짝 피었으면 하는 바람이다.
그리는 내내 영화 해어화의 '봄 아가씨' 노래가 흥얼거려졌다.**

빗장 네임펜, 마커펜, 파스텔 (사이즈 30*30)

나중에야 알았다.
내가 얼마나 마음의 문을 꼭꼭 닫고 있었는지.
그땐 그랬구나……

다괜찮아 포스터 물감, 파스텔 (사이즈 30*30)

내가 나를 위로하다.
다 괜찮아… 내가 널 사랑해!

기억 회상 한국화 물감 (사이즈 30*30)

아빠가 너무 너무 보고싶다.
행복하면서 슬프다.
나의 아빠⋯⋯

친구 자연 만다라 (사이즈 50*50)

통합

나무판, 매직펜
(사이즈 130*130)

하늘마음

벽화, 매직펜
(사이즈 125*125)

고귀한

마커펜, 펄 물감
(사이즈 27*27)

집착

네임펜, 아크릴 물감
(사이즈 30*30)

Chapter 2.

프로크리에이트 어플을 활용한 만다라 컬러링

만다라 제목을 지어보세요.

컬러링을 하며 떠올랐던 느낌, 감정, 생각등을 자유롭게 기록해 보세요.

_____

_____

_____

MooBee_waY

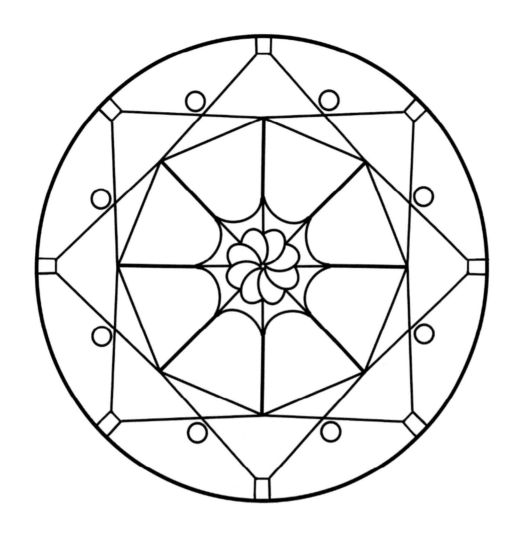

Chapter 3.

인공지능 AI 미드저니를 활용한 만다라 컬러링